KB177770

보름달이 뜨는 날엔
별 보러 가지 마세요

우리, 사랑이었고 이별이었다.

보름달이 뜨는 날엔 별 보러 가지 마세요

저 자 최연화
이메일 pyeona92@gmail.com

발 행 2024년 07월 31일
펴낸이 한건희
펴낸곳 주식회사 부크크
출판사등록 2014.07.15.(제2014-16호)
주 소 서울특별시 금천구 가산디지털1로 119 SK트윈타워 A동 305호
전 화 1670-8316
이메일 info@bookk.co.kr

ISBN   979-11-410-9758-5

보름달이 뜨는 날엔 별 보러 가지 마세요

최연화

BOOKK

차례

다르지 않은 사랑을 했고,
평범하게도 이별을 했습니다.

사랑할 때는 가팔랐고, 이별할 때는 완만했습니다.
사랑할 때도 침묵했고, 이별할 때도 침묵했습니다.

이 글은 못다 한 이야기로 채워진 일기장 속 고백입니다.
사랑하고 이별한 모든 이들이 지난 행복에 무너지지 않고,
지난 아픔에 상처입지 않기를 바라는 마음을 담았습니다.

누군가를 사랑했고 누군가와 이별했을지 모를 당신의 마음에
제 솔직한 고백이 조그만 위로와 아득한 미소가 되길 바라며

혼자 남아서 다시 그리는 제 이야기로 초대합니다.
혹여 생각나는 이가 있다면 그 이와 그 밤도 초대합니다.

'오랫동안 감춰둔 일기장을 뒤졌다. 우리가 있었다.'

채워져 가는 달에 대하여

사랑이었다. 나는 웃었고, 너는 웃겼다.

도시 동경

시골에서 나고 자라 도시에 대한 동경이 있었다.

어린 시절부터 초, 중, 고등학교를 시골에서 자랐다.
학교를 마치면 학원에 가는 친구들보다 놀이터에서 뛰어놀던
친구들이 더 많았고, 대학입시를 걱정하는 친구들보다 바람에
휘날리는 앞머리를 걱정하는 친구들이 더 많았다.

대학은 도시로 떠나기 위한 첫 번째 기회였는데, 실패.
취업은 도시로 떠나기 위한 두 번째 기회였는데, 실패.

대학교를 졸업하면 서울로 갈 거라며 동네방네 소리치고 다녔
기에, 첫 직장을 서울로 갈 줄 알았지만 인내심이 부족했다.

경기도로 왔다. 도시를 잘 몰랐던 촌년, 도시인줄 알았다.
내가 정착한 곳은 그저 서울 말씨를 쓰는 촌.
깜박 속았다.

도시의 부드러움을 품었지만, 시골의 거친 면을 드러내는 곳.
이곳에서 만난 네가 딱 그랬다.
깜박 속았다.

대학교를 졸업하고 첫 직장생활을 하기까지 고민이 많았다.
마음이 하는 이야기를 믿고 떠나온 도시는 때때로 외로웠고, 새로운 도시의 풍경은 낯설었다.

도로를 사이에 두고 화려한 건물과 익숙한 논밭이 있었다.
도시와 시골의 그 어디쯤, 어디에도 속하지 못한 듯했다.

딱 내 마음 같았다. 본성과 갈망, 그 어디쯤 서 있었다.
온전히 그 어디에도 미치지 못하고 애꿎은 도로 위를 서성였다.

그 뒤로 며칠간 혼자서 동네를 걸었다.
다락방이 있는 카페, 집 앞 대형마트, 시골에 없던 체인점.
정겨운 오일장, 동네 미용실, 아이들 북적이는 도서관.
앞으로 몇 년이 될지 모르지만 내가 머무를 곳이니까, 적응하기 위한 시간이었다.

사회초년생으로서 새로운 경험을 하는 두근거림도 좋았고, 성장하고 성취하는 것에 대한 보람도 알아갔다. 그럼에도 일로서 채워지지 않는 마음이 있었다.

이때는 그 누구라도 상관없을 것 같았다.
그 누구라도 성심껏 좋아할 수 있을 것 같았다.
작은 호의에도 뒤돌아봤고, 작은 관심에도 눈길이 갔다.

그렇게 세상에 대한 호기심과 설렘이 번져갔다.

이때 너를 만났다.
새로운 곳에서 알아가던 몇 안 되는 사람 중,
'당신이라도 괜찮겠다.' 생각했던 그 사람.

나에게 다가온 너를 만났다.

아무도 모르는 도시에서 아는 사람이 생긴다는 건 나름 반가운
일이었다. 정착하게 된 동네에서 멀지 않은 곳에 네가 있다는
것만으로도 왠지 든든했다.

혼자 걷던 낯선 길을 누군가와 함께 걷는다는 거,
지나가는 사람들을 헤치며 발맞춰 걷는다는 거,
무엇보다 누군가의 이야기가 담긴 거리를 걷는다는 거,

낯선 풍경 속에서 참 따스하고 반가운 일이라는 걸 알게 했다.

———————
이상형

너는 흡연자였고, 나는 비흡연자였다.

담배를 피운다는 네 등을 붙잡은 날,
너는 처음으로 내 앞에서 담배를 피웠다.

창문 앞에 서서 담배를 피우고 있는 네게 다가가 너를 끌어안
았다. 봄날 맑은 하늘도 좋았고, 포근히 불어오는 바람도 좋았
다. 무엇보다 너의 품이 좋았다.

너는 담배 연기로부터 나를 밀어냈지만, 그 짧은 순간도 떨어지
기 싫었던 걸까. 싫어하던 담배 냄새도 썩 괜찮게 느껴졌다.

나중에 알게 됐지만 너는 이때, 내가 옆에 서서 너를 끌어안고
쫑알쫑알 떠들던 그 모습에 '나를 많이 좋아하고 있구나' 생각이
들었다고 한다.

그럴만했다. 그 이후로도 나는 담배를 피우는 네게 곧잘 다가갔다. 다른 사람 담배 냄새는 너무 싫었는데, 네 담배 냄새는 좋았다. 그냥 그랬다. 그냥 네가 좋았다.

물론! 누구나 그렇듯, 이상형은 있었다.
자상하고 배려심 있는 사람,
나의 상식선 안에 있는 사람,
자기 일에 책임감 있는 사람,
소중하다고 여기는 가치가 비슷한 사람,
무엇보다 '좋은 사람'.

결국! 누구나 그렇듯, 이상형일 뿐이었다.
너는 내 생각을 벗어났지만, 새로운 기준이 됐다.
유머가 있는 사람,
눈치가 빠른 사람,
듬직하고 남자다운 사람,
사과할 줄 아는 사람.
무엇보다 '사랑을 아는 사람'.

네가 그랬다. 그래서 네가 참 좋았다.
내가 가지지 못한 마음을 가진 네가.

그렇게 이상형이라는 단어가 무색해져 갔다.

사랑할 수 있는 수많은 이유로부터, 그동안 부정하던 것들이 받아들여진다는 건, 참 신기한 일이었다. 오랜 기간 아껴오고 지켜오던 것들이 무너지고 다시 쌓아 올려지는 느낌이었다.

너였는지, 너를 향한 나의 애정이었는지 모를 기준이었다.

다투거나 싸워본 기억이 별로 없다. 얼굴을 붉히고, 소리를 지른 일이 별로 없다. 누군가의 화난 얼굴을 마주한 기억이 별로 없다.

네가 처음으로 화를 내던 날, 당황했다. 사실 왜, 무슨 이유로 화를 내는지 잘 이해할 수 없었다. 나는 그저 너를 달랬다. 너의 손을 잡고, 너를 쓰다듬었다. 너는 전의를 상실한 듯 나에게 미안하다며 사과를 했고, 같이 화내지 않는 나를 보며 너 자신을 반성했다.

오랜 기간 우리는 싸우지 않았다.
아마 술이 아니었다면 더 오래.

연애의 경험이 많았던 너는 당연히 연인과의 다툼도 많았다고 했다. 서로 화를 내고 싸웠던 많은 경험이 있었고, 그렇게 학습된 듯이 화를 내기 시작하는데 어리둥절한 내 표정에 자신도 당황스러웠다고 했다.

싸우지 않아도 된다는 거
누가 이기고 지지 않아도 된다는 거
서로 상처가 되지 않아도 되고
소중한 것을 지켜 낼 수 있다는 거

너는 내가 착해서라고 했지만, 그건 내가 착해서가 아니라 너를
좋아해서였다. 누군가 네게 착한 사람이라는 건, 네가 소중한
사람이라는 뜻이니까.

너는 주변 사람들에게 나의 착함을 자랑하듯 이야기했다.
네 주변 사람들은 너를 대하는 나의 모습에 착함을 이야기했다.

'내 여자친구 진짜 착한 거 같아'
'네 여자친구 진짜 착하다.'

처음에는 별생각 없었다. 그 마음에 고마워할 줄 아는 사람이었으니까. 그 마음을 다시 전하려던 사람이었으니까.
가끔은 모진 세상을 알려주며 답답한 듯 꾸짖기도 했지만?

언젠가부터 ''착하다'라는 네 말이 신경 쓰였다.
그럴 때마다 네 주변 사람들은 어떤 모습일까 궁금했다.

너는 사람들에게 어떤 행동으로 대해졌을까,
너는 배려 받고 존중받은 일들에 어땠을까,
너는 그저 아무 이유 없이 사랑받았을까.

네가 말하는 착함과 내가 건네는 착함이 조금은 다르다는 걸 느껴갈 때, 나는 네게 고백했다.
'사랑해서 그래'

처음으로 네게 사랑이라는 감정이 튀어나온 날,
그렇게 사랑한다고 이야기했다.

―――――――
유 머 의 힘

누군가 그랬다. 유머는 ′상황을 뒤트는 힘′이라고.
그런 네 덕분에 유머의 힘을 알았다.

너는 그랬다. 참 긍정적이고, 유머러스한 사람이었다.

나의 힘든 상황도 말 한마디로 바꾸는 힘이 있었고, 나를 한 번
웃게 하기 위해서는 네 한 몸 아끼지 않았다.

하루는 기분이 안 좋아 보이는 나를 보더니, 엉덩이를 내보이며
짱구 춤을 추던 서른 중반이었다.

문득 그런 생각이 들었다. 너라면,

′언젠가 힘든 일이 닥쳐도 그 시간을 함께 견뎌낼 수 있겠다.′
뭐, 그런 생각.
′아픔과 고난도 작고 작게 만들어 한 손에 쥐여줄 수 있겠다.′
뭐, 그런 생각.

어느 날, 네가 요리를 하면서 나에게 말을 건네던 날, 그날따라 네 머리카락이 웃겼다.

피식.

너는 내가 건네던 말을 듣고 웃었다고 생각했나 보다. 이후로 너는 요리를 할 때면 내게 그 말을 건네며 웃었고, 그렇게 나는 네가 나를 웃기려고 노력했다는 걸 알아버렸다.

웃기지 않은 그 말에 나는 항상 웃었다.
그 마음이 예뻐서.

나중에서야 깨달았지만, 너의 노력에 참 감사했다.

나의 웃는 모습이 좋다던 네 덕분에,
나를 웃게 하기 위해 애썼던 네 덕분에,
아무것도 아닌 일상에 참 많이도 웃었다.

네 유머에 참 행복했다.
아직도 가끔 그리울 만큼.

누군가 나를 웃게 하기 위해 노력한다면 사랑이다.
얼굴을 맞대고 웃었던 수많은 순간들은 사랑이다.

그저 옆에만 있어도 즐거웠던 사람,
그저 평범한 일상도 행복했던 사람,

유머의 힘을 알려준 그 사람을 사랑했다.

─────────
김 치 볶 음 밥

나는 혼자 타지에서 자취를 하고 있었고, 너는 고향인 곳에서 가족들과 함께 살고 있었다. 혼자 있는 내가 신경이 쓰여서였을까, 너는 내가 배고프다고 내뱉는 말에 안타까워했다.

물론, 나는 생각보다 자주 배가 고팠다.
네가 놀랄 만큼. '아침부터?' '이 시간에?' '또?'

어느 날, 저녁 10시를 지나는 시간이었다. 너와 카톡을 주고받다가 '아, 배고프다' 이야기했다. 그러자 네가 집 앞까지 나를 데리러 왔다.

나를 네 집으로 데리고 가서 김치볶음밥을 만들어줬다. 너는 요리를 곧 잘했다. 나와는 달리.

네가 만들어주던 김치볶음밥 진짜 맛있었는데.

그래서였을까.
언젠가부터 나는 배가 고프면 네게 떼를 쓰기 시작했다.

너는 나를 '돼지야'라고 놀리면서도 맛있는 음식은 먼저 챙겨주고 네 것도 양보해 줬다.

내가 기분이 안 좋아 보이는 날이면 내가 좋아하던 음식을 나열하며 꼬셨고, 나는 찰나의 고민을 하는 척하며 그 꼬임에 넘어가 기분이 풀렸다.

어쩌다 내가 입맛이 없다는 날이면 세상 큰일이 난 것 마냥 걱정하곤 했었지.

그 당시엔 배가 고프면 예민해진다 생각했는데, 아닌 것 같다.
그냥 네가 나를 챙겨주는 게 좋았던 거지.

지금은 배가 고프다고 누구에게 떼쓰지 않으니까.

너를 떠올리면 네가 해주던 요리들이 생각하더라. 너를 만나고 1kg도 잃지 않은 내 모습을 지켜줘서, 반면 너는 자꾸 살이 빠진다던 모습이 기억나서 고맙고 미안했네.

어릴 적부터 누군가를 접촉하고 있어야 마음이 편했던 것 같다.

집 안에 누워있을 때도 이야기를 할 때도, 손을 잡고 있거나 몸의 어딘가를 붙이고 있다.

우리 부모님은 아직 손을 잡고 걸어 다니신다.
나도 엄마, 아빠와 길을 걸을 때면 손을 잡고 걷는다.

너에게도 그랬다. 네 옆에 껌딱지처럼.
여름이고, 겨울이고
대화할 때도, 술 한잔 기울일 때도
몸의 어딘가를 붙이고 있었다.

손이나 발이나, 팔이나 다리나
잡거나 올리거나, 붙이거나 만지거나
앉아있는 네 뒤를 온몸으로 감싸며 누워있거나
그렇게 붙어있어야 마음이 편했다.

나이가 들어서도 사랑하는 사람과 손잡고 걸어가고 싶다.

서로 잡아주고 이끌어주면서, 서로 지탱하고 버텨내 주면서,
그렇게 서로에게 기대어있고 싶다.

그 순간, 그게 너라서 참 든든했다.

사랑은 본능이었다. 누가 알려준 적 없고, 누구와 해본 적 없어도 마음이 시키는 행동을 따라가다 보면, 사랑이었다.

우리가 만난 지 얼마 되지 않았을 때, 같이 누워있던 네가 나에게 처음으로 '사랑해?' 물어오던 날이었다. 그때는 '사랑이 뭔지 몰라서 사랑한다고 이야기해 줄 수 없다'라고 답했었지.

시간이 지나면서 사랑을 알아가고, 사랑을 하던 나의 모습이 신기했다. 언젠가부터 매일매일 보고 싶었고, 매일매일 고백했다.

우리는
보고 싶다는 말 대신, 주말에 우리, 그냥 안고 있자.
사랑한다는 말 대신, 밥 먹고 우리, 손잡고 산책 가자.
고백했다.

오직 너라면 다 괜찮을 것만 같은, 너만 있으면 충분할 것만 같은 그런 마음. 사랑이 아니라면 그 어떤 가치와 그 어떤 감정도 다 포기할 수 있을 것 같은 그런 마음.

그저 너 하나, 너에 대한 마음 하나만 바라봤던 시간들이 지금에서야 참 신기하다.

대학 시절 운전면허를 땄지만, 장롱면허로 간직하다가 첫 직장
에서 갑자기 운전을 해야 했다. 그날은 겁도 없이 운전대를 잡
고 운전을 했지만 이내 너에게 운전을 배우게 됐다.

네 차를 내어주면서 운전을 알려주던 너는
'백미러를 봐야 한다'
'사이드미러를 봐야 한다'
'속도를 미리 줄여야 한다'
'왼쪽으로 차가 치우쳤다'
'신호를 잘 봐야 한다'
'차선을 옮길 땐 깜빡이를 좀 더 미리 켜야 한다.'
조잘조잘 옆에서 잘도 알려주었다.

조금씩 운전이 익숙해지고 나니 네 이야기가 왜 그렇게 잔소리
로 들리던지. 네 말에 조용히 하라며 받아쳤지만, 너는 항상 조
심해야 한다고 일러줬다.

막상 내가 네 차를 연석에 긁고, 못을 밟아 타이어를 망가트리고, 앞 범퍼를 언덕에 부딪쳐도 너는 내게 아무 말 하지 않았다.

너는 그럴 때마다 차는 괜찮다고 했다. 망가진 차는 괜찮다고.
다시 운전대를 내어주고 조잘조잘 옆에서 잘도 알려주었다.

네 덕분에 나는 지금 운전을 제법 잘한다.
어디든 갈 수 있을 만큼.

아마 너는 운전을 알려주듯이, 나에게 사랑을 알려줬나 보다.
지금에서야 혹시 망가져 가던 네 마음은 괜찮을까 걱정된다.

네 덕분에 나는 조금이나마 사랑을 알겠다.
다른 이를 사랑할 수 있을 만큼.

딱 그만큼.

나는 노래 듣는 것을 좋아했고,
너는 노래 부르는 것을 좋아했다.

잠이 오지 않는 밤이면, 같이 누워서 노래를 부르곤 했다.
당연히 너의 제안이었다. 노래 부르는 것을 좋아하던 너니까.

밤이 늦었으니 조용하게, 속삭이듯이.
네 팔에 누워 서로의 귀에다 대고 듀엣곡을 불렀다.

그 순간이 긴장됐지만, 재미있었다. 그렇게 서로 한 마디씩 주고받다 보면 그 밤이 꼭 노래 속 가사처럼 로맨틱해졌다.

적막한 밤에 비밀스러운 이야기를 주고받던 긴장감도, 마음속 이야기를 대신할 수 있는 노래를 선곡하던 재미도, 마주 보며 웃던 미소도, 귀에다 속삭이던 목소리도 다 좋았는데.

가끔씩 우리가 불렀던 노래가 흘러나오면 그 장면이 생각난다.

우리는 다시금 다른 누구와 듀엣을 맞춰가겠지만,
그 긴장과 재미와 설렘을 알려준 네가 생각나겠지.

가파른 사랑이었다

사랑할 때는 가팔랐고, 이별할 때는 완만했던 이유.

사랑할 때는 내가 잡아당겼고,
이별할 때는 네가 버텼기 때문이겠지.

내 사랑이 너무 빨라서,
내 사랑이 너무 뜨거워서,
내 사랑이 너무 뾰족해서,
네가 힘들지 않았을까.
그만큼
내 사랑이 빨리 지쳐서,
내 사랑이 빨리 식어서,
내 사랑이 너무 아파서,
네가 힘들지 않았을까.

이제서야
내 사랑이 너를 힘들게 하지 않았을까, 미안하다.

뒤돌아보니
내 사랑이 너에게 상처가 되지 않았을까, 미안하다.

이별할 때는 나 혼자 아프고, 나 혼자 힘들었다고 생각했지만,
사랑할 때는 정작 네가 아프고, 네가 힘들었겠구나 싶어져서.

나에게 너는 사랑이었다.
누군가가 나에게 사랑을 묻는다면,
너와 함께한 모든 순간을 알려주고 싶을 만큼
나에게 너는 사랑이었다.

너의 그 어떤 잘못도,
너의 그 어떤 불행도,
너의 그 어떤 무게도,
내가 감당할 수 있을 것만 같은 마음.

나에게 닥쳐질 고난도,
나를 향한 누군가의 질타도,
언젠가 마주할 밑바닥도,
너라면 함께 이겨낼 수 있을 것만 같은 마음.
그저 너 하나면 충분했을 그 마음.

사랑이 영원하지 않다고 하는 건
그 마음이 영원하지 않아서일 테고
그건 네가 아니라, 내가 변해서일 테다.

너로 인해 변해가던 내가
다시금 나로 인해 변해갈 때,
'사랑이었다' 이야기하게 된 거겠지.

짙어져 가는 어둠을 동경하다

이별이었다. 나는 지쳤고, 너는 버텼다.

진짜 사랑에는 유통기한이 있는 걸까.

괜찮다고 했던 것들이 더 이상 괜찮아지지 않게 되고, 사랑한다
고 했던 것들에 더 이상 사랑하지 않는다고 말하게 될 때.

너를 사랑했던 2년의 시간이 지나고,
너와 이별하는 2년의 시간이 시작됐다.

사랑했던 시간이 기억도 안 날 만큼
힘겹고 아팠던 시간이 시작됐다.

사랑만큼이나 신기했다.

그토록 사랑한다고 외쳤던 네게,
세상에서 가장 모진 말을 내뱉는 내가.

내 세상에서 사라져도 좋을 만큼,
내 기억에서 잊혀도 좋을 만큼,
너와의 이별이 간절했던 그 시간들.

연인 사이의 이별이란, 더 이상 내 세상에 네가 없다는 것이었
다. 실체가 없어진 듯 아득한 기억으로 남는 것이었다.

그런 이별을 했다. 여느 연인들처럼.

참고 참았던 싸움이 터졌을 땐, 그 파괴력이 엄청났다.
단 한 번의 싸움만으로도, 사랑을 부숴버릴 수 있었다.

한 번 시작된 싸움은 빈번해져만 갔다.

내 집에서, 네 집에서, 차에서, 식당에서, 길거리에서
그 어디에서도 우리는 소리를 지르면서 싸웠다.

너에 대한 마음이 지쳐갈 때,
너에 대한 사랑이 식어갈 때,
그렇게 세상 떠나가라 외치고 있었다.
그렇게 나는 너의 손을 놓고 있었다.

싸우기 시작하면서부터 우리의 만남은 도돌이표였다.

언제는 내가, 언제는 네가 헤어짐을 이야기했고, 항상 네가 나
를 찾아왔다. 집 앞으로, 회사 앞으로, 버스정류장 앞으로, 아르
바이트하는 카페로.

그러면 나는 너를 밀어냈고, 너는 다시 한번 붙잡았다. 결국에
는 내가 너를 다시 받아줬다. 그렇게 싸움과 헤어짐과 만남을
반복했다.

네가 하루빨리 나와 헤어지길 기다렸다.
2년이라는 그 긴 시간 동안.

그렇게 우리는 연인이었지만 헤어지는 중이었다.

그때는 네 마음이 참 의아했다. 너도 지칠법한 그 마음이 왜 자꾸 나에게 돌아오는지.

그리고 내 마음도 참 이상했다. 너를 밀어내면서도 왜 자꾸 너와 다시 시작하는지.

너는 헤어질 때마다 나에게 사과를 했다.
내게 더 잘하겠다고 이야기했고,
자신이 변하겠다고 이야기했다.

그때는 그런 말이 과연 진심일까 싶었는데,
지금 생각해보니 그런 말이 무슨 의미가 있었을까 싶다.

결국은 네가 변한 게 아닌 듯이,
네가 변한다고 될 게 아니었을 텐데...

너에게 괜찮다고 했던 것들이 더 이상 괜찮지 않았다.

더 이상
네가 술을 자주 마시는 것도,
네가 담배를 피우는 것도,
네가 새로운 흥미를 찾는 것도,
괜찮지 않았다.

네가 변한 게 아니었다.

너에게 괜찮다고 했던 것들이 어느 순간부터 괜찮아지지 않게
된 것이다.

그렇게 이별을 하고 있는 것이었다.

너의 가치가 장점이 되고 단점이 되었던 건
결국 내가 만들어 낸 시선이고 감정이겠지.

너의 유머를 냉소로 만들고,
너의 긍정을 도피로 만들고,
너의 자유를 방관으로 만들고,
너의 꿈을 허황으로 만들고,
너의 사랑을 사슬로 만든 건.

그렇게 네게서 너만의 가치를 빼앗고,
너를 더 이상 빛나지 않게 한 건,
결국 내가 만들어 낸 시선이고 감정이겠지.

나 참, 너한테 잔인하고 이기적이었다.

너는 20대 중반쯤, 한 여자와 헤어졌다고 했다.
그 여자가 다른 남자와 모텔에서 나오던 모습을 보며.

연인 관계에서의 바람, 나의 일이 아닐 것이라 생각했던 바람.
그 이별로부터 나와 이별하기까지, 너는 참 지독한 병에 갇혀있
었다.

걱정으로 시작한 마음이 끝내 의심이 되는 병.
의심으로 시작한 마음이 끝내 확신이 되는 병.
그렇게 결국은 자신의 밑바닥을 드러내는 병.

너는 그 걱정과 의심과 집착에 너 자신도, 나 자신도 괴롭혔다.

너는 과거의 아픔을 핑계 삼아 자신을 이해해 달라고 했지만,
절대. 나는 그럴 수 없었다.

그 여자와 나를 같이 둘 수 없었다.

원치 않았을 네 아픔도 안타깝지만, 그보다는 원치 않았던 내 아픔이 더 안타까워서. 결국 너 자신을 가둬버린 과거로부터 도망칠 수밖에 없었다.

그래서 내가 하고 싶은 말은...
바람 펴서 헤어진 것들, 다 망해라!

너를 사랑할 때는 나를 위해서 최선을 다했고,
너와 이별할 때는 너를 위해서 최선을 다했다.

내가 할 수 있는 모든 것을 쏟아내고 나니,
그 어떤 일말의 미련도 후회도 남지 않았다.

누군가에게 들은 적 있었던 것 같다. 누군가를 사랑할 때 최선
을 다하라는 말. 조금의 감정도 남겨놓지 말고 쏟아내라던 말.

정말이었다. 할 수 있는 최선을 다하고 나니, 너와의 이별이 무
섭지 않았다. 더 이상 나를 위해서가 아니라, 너를 위해줄 수
있을 만큼 강해져만 갔다.

아직 이별을 두려워하던 너를 위해 남은 것을 쏟아내고 나니,
마침내 우리의 이야기가 끝이 났다.

너는 우리가 이별해 가는 동안 자주 후회하곤 했다.
'미안해', '내가 더 잘할게', '한 번만 더'라는 말로 다시 돌아가
고 싶어 했지만, 어떻게 시간을 되돌릴 수 있겠어.

시간을 되돌릴 수 없듯이, 우리가 다시 돌아갈 수 있는 길은 없
었다. 그러니 주어진 매 순간 최선을 다했으면 좋겠다.
앞으로 나아갈 수밖에 없는 삶 아닌가.

습관처럼 당연하게 너와 보내던 주말의 시간이
어느 날 문득 무의미해지기 시작할 때,
언젠가부터 즐겁지 않아지기 시작할 때,
갑작스럽지만 일요일 아르바이트를 시작했다.

너에게는 예전부터 카페 아르바이트를 해보고 싶었다고 이야기
했지만, 사실은 주말에서 하루만큼은 우리가 아닌 온전한 나만
이 필요했다.

그렇게 조금씩, 네가 아닌 나만이 필요한 시간을 찾아가고 있었
다. 그렇게 하나둘, 너를 만나기 전 나만의 일상을 찾아가고 있
었다.

그렇게 천천히 너와 이별하고 있었다.

너의 집을 청소하다가 나의 물건을 챙겼을 때,
나의 집을 청소하다가 너의 물건을 돌려줬을 때,
너는 내게 넌지시 이야기했던 것 같다.
이별을 준비하는 마음을 읽었다는 듯이.

그렇게 하나둘 서로의 물건이 제자리를 찾게 됐을 때, 더 이상
너에게 가져올 것이 없고 너에게 돌려줄 것이 없게 됐을 때, 그
때 참 마음이 홀가분했던 기억이 난다.

가끔 대청소를 하는 날이면 서로를 비워갔던 기억이 난다.

우리의 인연이 한순간에 끊어질 수 없다면
한 가닥 한 가닥 천천히 이별할 수밖에...

천천히 이별한 일로 오래 아팠더라도,
천천히 이별한 만큼 오래 간직했다고.

그 마음으로 끝내 이별할 수 있었다고.
너에게 전하지 못한 마음을 남겨본다.

보름달이 뜨는 날엔 별 보러 가지 마세요

긴 이별 속에서 갑자기 눈물이 날 때면, 슬픈 드라마를 찾아봤다. 이별에 울고 있는 내가 청승맞아 보일 때 드라마만 한 핑곗거리가 없다.

드라마 주인공들에게 몰입해서 한 바탕 눈물을 쏟고 나면, 이별의 무게가 조금은 작아졌다. 이별, 그거 별거 아니구나 싶었다.

저 드라마 속 운명 같은 사랑에도 이별이 있는데,
우리 만남 속 찰나 같은 사랑에도 이별이 맞겠지 싶어서.

세상 절절한 저 사랑에도 결국 이별이 오는데,
잠시 다녀간 우리 사랑에도 결국은 이별이 맞겠지 싶어서.

사랑하고 이별하는 모든 이야기에서 우리를 봤다.
나였다면
너였다면
스치듯 떠오른 기억에 웃었다가, 울었다가.

그렇게 청승맞고 지랄맞은 우리의 이야기를 드라마 속 주인공들의 아름다운 모습으로 미화시키다 보면, 너와 나도 나름 드라마 같은 이야기를 남겼다 싶더라.

그렇게 현실이 아닌 아득한 기억 속으로 남겨본다.

_____

네게서 가져온 편지

너에게 준 나의 편지 뒷면에 메모장으로 쓴 듯한 숫자를 보고
나서, 나는 그 편지를 네게서 가져왔다. 나는 그 마음을 네게서
가져왔다.

그 당시엔 나의 마음이 그랬다. 네게 주었던 나의 마음이 과분
하고 느꼈고, 네가 나의 마음을 가볍게 여긴다 느꼈다.

아마도 너는 그 편지의 행방을 모르고 있겠지?

나는 너와 헤어지고 나서 가끔 그 편지를 본다.
나에게도 저런 마음이 있었구나, 저런 사랑을 했었구나 싶어서.
지금은 잊혀 버린 그 마음이, 그 사랑이 신기해서.

너와 이별하는 일은, 너를 사랑을 했던 나와도 이별하는 일이라
그때 사랑을 했던 내가 가끔씩 그리워지기도 한다.
문득 그런 날이면 그때의 편지를, 그때의 일기장을 본다.
사랑을 했고, 이별을 하는 나를 위로하면서.

나는 너와 다투고 헤어질 때마다 우리가 함께한 추억을 삭제했다.

너의 이야기가 담긴 사진도
너와 주고받던 메시지도
그렇게 다 지워버리고 나면
너를 사랑했던 기억도 다 잊힌 듯했다.

마치 너에게 애틋한 적 없고, 너와 미소를 나눈 적 없듯이.
그저 상처 주고, 미워하고, 밀쳐내고 있는 그 순간만 남듯이.

나는 지금도 너와 찍은 사진 한 장, 너와 주고받은 메시지 하나 없다.

네가 남아있는 거라곤 내가 적어놓은 일기장, 네게 보냈던 손편지, 나의 아득한 기억 정도가 전부다.

지워버렸던 나의 마음을 한 글자씩 적어가다 보니 알겠다.
너와 사랑이었고, 이별이었다는 것을.

너와 헤어질 때쯤, 나는 연인 사이 갑을관계에 대해 느낄 수 있었다. 사람도 동물이라는 말, 내가 상대보다 강하다는 것을 본능적으로 알 수 있었다. '내가 갑이구나'

신기하게도 내가 상대보다 강해지고 나니, 정말 강해졌다.
그리고 알았다. 우리가 사랑할 때 네가 알았겠구나.
네가 갑이라는 것을.

갑과 을
누가 더 많이 사랑하느냐
누가 더 많이 애틋해 하느냐
누가 더 많이 용서해주고
누가 더 많이 기다리고
누가 더 많이 감싸주느냐

더 많이 사랑한 사람이, 애틋한 사람이, 용서하고 기다리고 감싸주는 사람이 을인 것 같지만, 아니다. 결국 사랑을 해본 사람이 갑이다.

우리가 시작할 때는 누군가를 사랑해 본 네가 갑이었지만,
우리가 끝맺을 때는 너를 후회 없이 사랑한 내가 갑인 것이다.

결국 너를 사랑한 내가 갑이 되는 것,
끝내 네가 나를 이길 수 없었던 이유는 네가 나의 사랑을 이길
수 없어서가 아니었을까.

너는 연애 초반부터 헤어질 때까지 나에게 '사랑해?'라는 질문
을 자주 했다.

처음엔 '사랑이 뭔지 몰라서 답을 못해' 하다가,
어느새 '너를 사랑해' 하다가,
결국엔 '아니, 안 사랑해' 하기까지.
많은 일이 있었다. 참 많은 시간이 흘렀다.

내가 선택한 것을 내 손으로 놓기까지, 쉬운 일은 아니었다.
사랑에 아주 비싼 대가를 치르기까지, 가벼운 일은 아니었다.

결국 네가 아닌 나를 위해 하는 선택이었을 것이다.
너와 이별하는 일이, 너를 사랑하는 일보다 낫다는 판단이었을
것이다.

그래도
사랑보다 힘든 일이 이별일 줄은,
사랑보다 오랜 일이 이별일 줄은,
몰랐다.

애써 붙잡고 버티는 네 마음도 얼마나 괴로웠을까.
네가 다시 다가올 때마다, 결국은 더 모진 말과 더 큰 상처로
밀어내는 내가 얼마나 미웠을까.

참 아픈 말을 아무렇지 않게 많이도 했었다.

사랑한다는 너의 말에,
사랑이 아니라고 정의하던 내가
사랑하지 말라고 밀어내던 내가
그런 사랑으로는 그 누구도 사랑하지 말라며 소리치던 내가
얼마나 아팠을까.

그 아슬아슬했던 나를 붙잡고 버티는 네가 얼마나 힘들었을까.

나는 항상 이별을 말하면서도 다가오는 너를 다시 잡았고, 결국
에는 네가 나의 손을 먼저 놓을 때까지 기다렸다.

내가 너에게 할 수 있는 일이라고는 너를 기다리는 일밖에 없
었다. 너도 나와 하루빨리 이별하는 일, 그 이별을 기다리는 일
밖에 해줄 수 없었다.

결국에는 네가 나를 찾아오지 않았을 때 우리는 이별했고, 그렇
게 네가 나와 이별하기까지 참 오랜 시간이 걸렸다.

그 기다림 속에서 네가 많이 아팠고, 다쳤었지.
그 기다림 속에서 내가 많이 지쳤고, 모질었지.

참 아픈 이별의 순간을 많이도 버텼다. 내가 받은 상처만 보느라, 너의 상처를 보지 못했다.

이제야 생각해보니 너를 위한 일이라 생각했던 그 기다림이 너를 더욱 힘들게 했을지 모르겠다. 어쩌면 나를 지키기 위한 이기적인 마음일 수 있었다는 걸 뒤늦게 알았다.

자해

네가 네 몸에 상처를 낸 날이었다.

'네가 뭐가 힘들어. 내가 더 힘들어'라는 나의 폭력적인 말 너머로, '뭐가 힘든지, 왜 그랬는지, 괜찮은 건지 먼저 물어봐야 되는 거 아니야'라고 속삭이던 너.

그 당시에는 상식적이지 못한 네 옆에서 나의 가치관이 흔들린 것이라고 핑계를 댔지만, 너에게서 상식과 가치를 뺏은 건 네가 아니라 나였다는 걸 안다.

'존재' 자체로 다가오게 했던 내 이기심이,
'존재' 이외의 가치를 잃어버린 네 자존감이,
'힘들다, 아프다, 괜찮지 않다, 걱정해 달라'라는 말을 그렇게밖에 하지 못 하게 한 걸까. 그마저도 보듬어주지 못해 상처를 줬고, 그렇게 너는 너에게도 나에게도 위로받지 못했던 걸까.

가장 아팠던 기억이다.
상처받았던 것보다 상처 줬던 기억이 더 아프다.

결국 사랑보다 이별이 아픈 이유,

내 상처보다 네 상처가 더 아픈 이유,

결국 찬란했던 기억보다 잊혀져가는 추억이 아픈 이유겠지.

완만한 이별이었다

아찔할 만큼 가파른 사랑을 오래도 했고,
무너질 만큼 완만한 이별을 오래도 했다.
참, 길고 길었다. 너와의 이야기가.

2년의 사랑과 2년의 이별 이야기.
사랑보다 더 힘들었던 이별 이야기.
다시 사랑하고, 다시 이별한 이야기.
돌고 돌아, 결국은 너와 끝맺은 이야기.

이별하는 그 시간 동안, 내가 참 많이 못났었다.
내가 참 이기적이었고, 참 모질었다. 미안했다.

아직도 긴 이별을 하고 있을 우리가
이렇게 힘들 줄도 모르고. 미안했다.

뒤돌아보니 사랑이었던 이야기는 자세히도 떠오르는데,
작고 가볍고 찰나의 순간도 '사랑이었다' 떠오르는데,
이별이었던 이야기는 왜 이리도 꺼내기 어려운지.
크고 무겁고 흐릿한 순간이 '이별이었다' 말하기가 왜 이리도
힘이 드는지.

그 순간 너에 대한 원망과 미움이, 어느새 나에 대한 실망과 후
회로 남아서 이별했던 이야기를 꺼내기가 참 힘이 든다.

너와 만나던 4년이라는 시간 동안
2년은 이별했다는 이야기가 되어버렸다.

이별의 시간도 어쩌면 사랑이었을 이야기가
끝내는 상처로 남아서 오랜 시간 나를 힘들게 했다.

하나둘 너와의 이야기를 적어보니 알 수 있었다.
사랑이었고, 이별이었던 우리의 이야기는
상처가 아니라 추억이었다는 것을.

그 추억으로 지금도 살아간다는 것을. 그래서 결국 이별 이야기
에 내가 할 수 있는 말은, '이별이었구나', '이별했구나' 되뇌는
말밖에 할 수 없다는 것을.

보름달이 뜨는 날엔
별 보러 가지 마세요

혼자 남았다. 나는 남았고, 너는 없었다.

너와 처음 갔었던 바다, 월미도 - 을왕리.

오랜만에 회사 동료들과 갔다.
새로운 관계를 시작한 동료 너머로, 나는 너를 추억했다.

나는 남았고, 너는 없었다.

너도 지금의 나처럼 이곳에서 다른 누군가를 추억했을까?
내가 아닌 다른 누군가와의 기억이 불현듯 떠올랐을까?

누군가를 추억하는 삶이, 썩 기분 좋진 않았다.
바닷길을 온전히 보지 못했다. 자꾸 네가 보여서.

수많은 어른들은 어떻게 버티며 살아가는 걸까. 사랑하고 이별
하고 혼자 남은 어른들은 어떤 삶을 살아가는 걸까.

너와 만나고 헤어지면서 어른이 되어간다고 생각했는데, 아니었
다. 이렇게 너를 떠나보내고 혼자 남은 시간 속에서 어른이 되
어간다.

더 강한 인내와 버팀 속에서 이렇게.
나를 쓰다듬고 위로하면서 이렇게.

헤 어 지 는 중

너와 마지막 이별을 한 지 1년이 지났을 때쯤, 가끔씩 너는 늦
은 저녁 나에게 전화를 걸어왔다. 시간을 보니 아마 술 한잔하
고 있나 보다.

나는 그 전화를 부재중으로 남긴다.
나는 부재중 전화에 물어보지 않는다.
너도 부재중 전화에 이야기를 더하지 않는다.

아마 너도
아직은 나와 이별하는 중인 걸까.

아마 내가
이렇게 너와의 이야기를 끄적이는 듯이.

아마 너도
가끔 생각나는 나를 떠올리는 걸까.

너와 이별하고 새로운 사람을 만났다.

그 사람의 등을 맞대고 잠깐 잠이 들었는데
꿈 같은 밤, 네가 정말 꿈속에 나왔다.

처음이었다, 너와 헤어지고 나서 처음.
아침에 눈을 뜨고 얼마나 놀랐는지 모른다.
하필, 왜, 그날, 네가 꿈속에 나왔는지 모를 일이다.

혹시
내가 술에 취해서 그 사람에게 네 이름을 부른 것과 같은 걸까.
자꾸만 그 사람에게 네 행동과 말투가 겹치는 것과 같은 걸까.

그렇게 하나둘, '내가 아직 이별하고 있는 중이구나' 느끼게 하
는 것들로 인해서 결국 다시, 나는 혼자서 너와 조금 더 긴 이
별을 해야 했다.

더 오랜 이별

너와 만난 4년이라는 시간.
그중 2년은 사랑이었고, 2년은 이별이었던 시간.

너는 헤어질 때마다 우리가 만난 그 세월을 이야기하며 쉽게
놓아주지 못했다.

나는 25살에 너를 만나 29살에 너와 헤어졌다.
너는 32살에 나를 만나 36살에 나와 헤어졌다.

나는 너에 대한 사랑이 빨랐던 만큼 너보다 먼저 헤어짐을 준
비했고, 너는 나에 대한 사랑이 느렸던 만큼 나보다 늦게 헤어
짐을 준비했다.

내가 먼저 헤어짐을 준비했지만 나는 아직도 너와 이별하는 중
이고, 너는 늦게 헤어짐을 준비했지만 너는 지금쯤 새로운 시작
을 하지 않았을까.

나는 네가 첫사랑이었고 너는 여러 번의 사랑을 했으니. 이별도 처음인 나보다는 여러 번의 이별은 한 네가 조금은 덜 아프지 않을까.

나는 너와 이별하고 나서도 네가 생각난다. 내가 먼저 헤어짐을 준비했다지만, 내가 더 오랜 이별을 하고 있을지 모를 일이다.

나는 아직 머무르는 집도, 시간을 보내는 동네도, 조금은 먼 출퇴근 길도, 투덜대던 직장도 모두 그대로이다.

너와 헤어지고 변한 건, 너로 인해 시작했던 아르바이트를 그만두었다는 거 그뿐이다.

아침에 일어나서 잠들기 전까지 내가 걸어 다니는 모든 길 위에 너와의 이야기가 있다.

퇴근을 하고 집으로 돌아가는 길이면 너와 자주 갔던 가게를 지나친다. 아직도 그 가게를 힐끔 쳐다본다. 혹시나 네가 있지 않을까 싶어서.

살아가면서 언젠가 한 번쯤은, 먼발치에서 너를 볼 수도 있겠다 싶어서. 이거 미련 아니다! 추억 정도로 하자.(미련인가?)

나는 너에게 그렇게 헤어짐을 갈구하면서도 너를 보면, 너의 이
야기를 들으면, '피식' 습관처럼 웃음이 났었다.
너는 내 웃음을 보면서 다시 나에게 다가올 용기를 냈겠지.

너는 항상 이별 속에서도 새로운 시작을 준비했고,
나는 항상 만남 속에서도 또다시 이별을 준비했다.

누가 먼저 포기하느냐, 누가 먼저 지치느냐. 결국 네가 나를 찾
아오지 않게 됐을 때, 우리는 마지막 이별했으니까.

가끔 네가 찾아오는 생각을 한다.
그러면 나는 또 습관처럼 웃음이 날까 걱정을 한다.

아마 나는 또 웃음이 날지도 모르니
내 미소에 네가 다시 용기를 내고
내가 다시 너를 받아줄지도 모르니
부디 나에게 다시 오지 않기를 바랄밖에.

돌아보니
너를 만난 시간만큼이나
너를 사랑했던 만큼이나
나는 너를 닮아 있었다.

독특하게 다리를 꼬던 습관도
못 먹던 간장게장을 먹게 된 입맛
맛있는 음식에 곁들이던 술 한 잔의 취향도
제철마다 해산물을 즐기고
계절마다 스포츠를 즐기던 재미도
그렇게 너를 닮아갔다.

지금은 너와 멀어진 관계만큼이나, 너를 미루고 외면했던 만큼
이나, 나를 되찾아가고 있다.

내가 좋아하던 일, 내가 좋아하던 공간,
내가 좋아하던 사람, 내가 좋아하던 음식,
내가 좋아하던 시간, 내가 좋아하던 놀이.

물론, 너와 함께 한 습관들이 여전히 남아있다.
지금은 그저, 그 모습까지도 나이다.

새로운 습관도, 입맛도, 취향도, 재미도 아는 나이다.

나는 너를 만나기 전까지, 휴대폰을 무음으로 사용하고 있었다. 휴대폰은 내가 필요할 때 보는 것이었고, 누군가와 주고받는 연락에 연연하지 않았다.

너를 만나고 나서는 항상 연락을 해야 하고, 그 연락에 바로 반응해야 한다는 게 어색하고 힘들었다. 아마 너를 처음 만나고 헤어지는 그 순간까지, 네가 나에게 했던 유일한 부탁이었던 것 같다. '연락'

그 당시엔 연락이 관심이고 사랑이라던 네 말에 동의할 수 없었다. 조금씩 늦긴 해도 너에게 답했고, 너에게 갔고, 너를 사랑했으니까.

나중에서야, 너와 헤어지고 나서 연락이 잘 안 되던 어떤 사람을 만나보고 나서야, 네가 내게 하던 그 부탁의 의미를 알았다.
결국 나는 그 사람과 더 연락하지 않는다. 그 사람을 만나면서 너를 이해하게 되는 그 상황이 속상해서.

내가 보낸 감정에 답이 오지 않아 실망했을 그 마음에

나 혼자 생각하고 나 혼자 걱정하고 나 혼자 사랑한다고 느끼게 됐을 그 마음에

너는 왜 내 마음과 같지 않냐고 떼쓸 수도 없었을 그 마음에

이제서야 미안하다. 미안했다.

너는 네 감정에 참 솔직했다. 네 감정 표현에 힘들 때도 있었지만, 언제나 결정적인 용기는 네게 있었다.

반면에 나는 감정 표현에 어색했다. 좋다, 싫다, 사랑한다, 고맙다는 익숙해져도, 끝까지 잘되지 않았던 것이 있었다.
'미안하다.'

너는 잘못한 일에 사과가 빨랐다. 잘못을 인정하고 사과했다.
반면에 나는 내가 잘못한 일에도 잘못을 인정하고 받아들이기 힘들어했다. 유독 너에게만 그랬다.

그럴 때도 너는 먼저 다가와 줬고, 내게 알려줬다.
'이번 일은 네가 잘못한 거야.'
'어, 나도 알아.'

이제는 잘못을 인정하고 사과할 수 있다는 것도 용기고, 사랑이라는 걸 안다.
그때는 내가 많이 부족하고 어려서,
사랑에 자존심을 버린다는 뜻을 몰라서,
네 사랑은 안 보이고 내 자존심만 보였다.

너에게 배웠다.
나도 이제는 사과할 줄 아는 어른이 되어가고 있다.

―――――
나의 이십대

지나온 이십대를 떠올려보니 몇 가지 단어로 정리된다.

대학.
술.
독립.
도시.
꿈.
일.
사랑.
이별.
뭐, 이 정도.

마침표가 찍힌 단어들이 아득하다.
그중에서도 가장 먼저 떠오르는 '너'에게 고마운 마음이 든다.

평범한 사랑을 하고 여느 이별을 할 수 있어서
새로운 시작에서 조금은 더 나은 사람일 수 있어서
이십대로부터 지나온 삼십대의 내가 더 좋아서
고맙다. 너에게 전할 길은 없지만, 고마웠다.

사랑의 정의 :

한 번의 사랑을 끝맺고 나니 사랑에 대한 정의가 변한다.

이제는 나에게 사랑이란,
변하는 것이다. 불안정하고, 영원하지 않은 것이다.
그래서 가만히 있는다고 유지될 사랑이 아닌 것이다.

약속이나 맹세로 이어갈 수 있는 것이 아니며,
한 사람이 붙잡고 버틴다고 해서 맺어지는 것이 아니다.

그래서 사랑은 서로 함께 노력해야 하는 것이다.

사랑해서 이별한다는 말은 이해할 수 없으며,
사랑한다면 같이 함께 시간을 보내는 것이다.

그래서 사랑은 헤어짐을 빙자해서는 안 되는 것이다.

자신을 희생하거나 다른 가치를 저버려야 하는 것이 아니며,
온전한 나와 나의 가치에서 더해가는 삶인 것이다.
그래서 사랑은 다른 가치를 인질 삼아 경쟁하면 안 되는 것이
다.

혼자 남아보니 가장 후회되는 건
사랑을 위해 희생하고 포기하려고 했던 나의 사람들, 나의 가치
들이다. 미안했다.

이별의 정의 :

한 번의 사랑을 끝맺고 나니 이별에 대한 정의도 변한다.

이제는 나에게 이별이란,
끝인 것이다. 자꾸 되돌아와도 결국엔 끝인 것이다.
결국 영원할 것 같은 것에도 이별이 온다는 것이다.
그래서 떠나는 이별에 매달려 붙잡는 것이 아니다.

어쩌면 나의 세상에서 평생 죽고 없는 것이며,
그리워하고 애틋해도 다시 만날 수 없는 것이다.
그래서 '혹시', '다시' 같은 기대를 할 수 있는 것이 아니다.

무언가를 지키기 위한 차선의 선택일 수도 있으며,
이별에 대한 책임과 선택의 몫은 나한테 있는 것이다.
그래서 온전히 나의 선택이고 결정이어야 하는 것이다.

혼자 남아보니 가장 후회되는 건
이별을 기다리고, 이별을 도피했던 나의 선택이 상대를 아프게
한 것이다. 미안했다.

―――――――――
조 금 더 혼 자 여 야 겠 다

안반대기에 별을 보러 갔다. 밤하늘에 별이 가득한 어떤 사진을
보고 무작정 차 한 대를 빌려서 떠났다.

굽이굽이, 어둑한 길을 지나니 불빛들이 보였다. 사람들이었다.
가족, 연인, 친구, 혼자. 많이도 와있었다.

두근두근, 기대하는 마음으로 고개를 높이 쳐들었다.
웬걸. 별보다 빛나는 보름달이 자그마한 별들을 감추고 있었다.

아차! 보름달이 뜨는 날엔 별 보러 오는 게 아니구나. 흠.
인생, 이렇게 또 하나 배워간다.

'별과 달을 모두 원한 적 없지만 욕심이었구나.' 생각하며 달빛
이 내어주는 길을 거닐다보니 문득 네가 떠올랐다.

무작정 쫓아온 별이 아니라 바닥을 멀리 비추는 달빛을 따라
걷다보니 번뜩 네가 떠올랐다.

그렇게 길을 잃었다.

길이 없어서가 아니라 새로운 길을 찾고 싶어서였다.

그렇게 어둡진 않았다.

온전하지는 않지만 채워진 빛을 등지고 있어서였다.

그저 '조금 더 혼자여야겠다' 싶은 생각뿐이었다.

시간이 흘러 초승달이 되는 날, 거리낌 없이 빛나는 별을 보고 싶어서였다.

앞서 사랑이었고, 이별이었고, 주절주절 적어갔던 모든 이야기는 혼자 남은 나의 기억으로 적힌 것이다.

너와 나를 남기는 일, 이제는 나 혼자 남는 일, 혼자 남은 내가 할 수 있는 유일한 일이었다.

누군가를 떠나보내고 혼자 남는 일이 익숙하지 않아서, 이렇게 네가 글 속에서라도 남아 내게 추억되는 일이라도 필요했다.

글 속에 담은 네 뜻이 진실이 아니더라도,
글 속의 너를 그리는 내 감정이 현실이 아니더라도,
너를 나의 추억과 나의 현실 그 어디쯤 남기는 것이 필요했다.

너는 나를 어디쯤 남겼을까.

나는 없고, 너는 남은 그 추억 어디쯤 남겼을까,
나는 남고, 너는 없는 이 현실 어디쯤 남겼을까.

그래도 어디쯤에는 남아있겠지.
혼자 남은 내 미련이라도 어쩔 수 없다.

<미련 : 깨끗이 잊지 못하고 끌리는 데가 남아 있는 마음>

미련이 참 늦었다.
혼자 남고 나서야 찾아왔다.

이 글은 너에 대한 미련일지도 모른다.
그 시절 나에 대한 미련일지도 모른다.

미련을 미련으로 남겨 두려면
다시 내리는 정의가 필요했다.

그 미련이 다시는 새로운 시작이 될 수 없는 정의.
그 미련이 끝내는 마침표를 찍을 수 있는 정의.

오만하지만 너와의 사랑과 이별을 내 맘대로 정의 내렸다.

너를 향한 미련이 너무 밝아서 무작정 쫓아온 새로운 사랑이
감춰지는 것을 보면서 너와의 이야기를 다시 한번 더 끝맺어야
했다.

별을 쫓아갈 용기는
기다림이라고

다시 쫓는다. 나를 채우고 기다림이다.

———————

남은 노력

다시금 나 혼자만이 기억하는 시간을 산다.
새해부터 다시 일기를 쓰기 시작했다.

하루를 끝내기 전 책상에 앉아 일기 쓰는 시간을 참 좋아했는
데, 순간을 느낀 내 감정과 내 생각을 담아 하나의 가치관이 되
는 글에 참 행복했는데, 잊고 있었다.

더 행복하고 치열했던 순간들로 인해.

다시 쓰기 시작한 일기에는 혼자로 온전한 내가 서 있다.

사랑이 진행형이어야만 채워지는 게 아니라는 걸 아는 내가 서
있다. 사랑이었던, 이별이었던 순간들이 채워져서 온전해진 내
가 서 있다.

다시 쓰기 시작한 일기에는, 온전히 나만이 느낀 '나', 내 감정
과 내 생각과 내 가치가 담긴다.

사랑과 이별에는 노력이 필요했다.
혼자 남고 나니, 새로운 도전을 할 수 있는 노력이 남았다.

하루의 기록을 글이 아니라, 영상이라는 새로운 방식으로 남길
수 있는 노력, 새로운 버킷리스트를 적고, 하나둘 이뤄나갈 수
있는 노력, 더 건강한 음식을 찾고, 더 건강한 나를 위해 운동
할 수 있는 노력, 잊힌 추억을 외면하지 않고 마주하며, 성찰하
고 사과할 수 있는 노력이 남았다.

조금은 더 나은 어른이 되기 위한 지금의 노력들이 참 좋다.
나중에 더 소중한 기억들로 남을 지금의 노력들이 참 좋다.

남은 노력으로 남은 나를 사랑하고 있다.

생애 처음으로 '사주팔자'라는 것을 봤다.

신기하게도 너를 만난 시기, 너와 헤어진 시기.
그 안에서 불같은 사랑을 느끼고, 마음이 식어가는 시기.
너와 함께 있던 동네에서 새로운 동네로 떠나온 시기.
너와 나의 나이 차이, 너와 나의 합들을 어찌나 잘 맞추던지.

소오름

마치 널 만나고 헤어지는 일이 정해져 있던 운명처럼 잘 맞았
다.

결국 너와 헤어질 수밖에 없었던 운명.
혼자 남아서 새로운 사람을 다시 만나게 될 운명.
한 번 더 이사하고, 새로운 직업을 찾고, 결혼을 하고, 나의 일
을 하게 될 운명.

신기했다. 운명처럼 혼자 남았고, 다시 사랑을 찾게 되는 내가.

어쩌면 정해진 운명이었고, 사랑과 이별이었고, '너'였던 그 덕분에 혼자 남은 내가 조금은 더 잘 살아가고 있다.

좋은 어른, 좋은 사람이 되어야지.
사랑을 해본 사람, 사랑을 아는 사람이 되어야지.
사랑에 매달리지 않고, 이별을 기다리지 않는 사람이 되어야지.
유머러스하고 긍정적인 사람이 되어야지.
잘못을 인정하고 사과할 줄 아는 사람이 되어야지.
'너'를 온전히 '너'로 인정하는 사람이 되어야지.
나의 시각으로 상대를 부정하지 않는 사람이 되어야지.
평범한 일상에, 행복에 감사할 줄 아는 사람이 되어야지.
스스로를 아끼고 사랑할 줄 아는 사람이 되어야지.
혼자 남는 것에 두려워하지 않는 사람이 되어야지.
새로운 시작과 새로운 인연을 반길 줄 아는 사람이 되어야지.

그렇게 조금은 더 나은 사람이 되기 위해 잘 살아가고 있다.

쌉쌀한 소주보다는 시원한 맥주 한 잔이 좋아지는 나이.

어디 한번 취해보자, 들이붓는 소주가 아니라,
거품과 함께 천천히 곁들이는 맥주가 좋아진다.

사람과 함께, 대화와 함께 어울리는 맥주가 좋다.
다양한 선택과 여유를 주는 맥주가 좋다.
혼자서도 언제든지 즐길 수 있는 맥주가 좋다.
스스로를 감당할 수 있는 맥주가 좋다.

삼십 대.
어떤 것도 포기하고 싶지 않아지는 나이.
적당한 맥주가 좋아지는 나이다.

가끔씩 시원한 맥주 한 잔이 먹고 싶어질 때가 있다.
혼자 마셔도 아무렇지도 않은 맥주 한 잔이 생각날 때가 있다.

크~

　　보름달이 뜨는 날엔 별 보러 가지 마세요

매운 떡볶이

매운 떡볶이를 참 좋아하는데, 고통이 따라온다.
그 고통을 잊을만할 때 다시 또 생각이 난다.

먹으면서도 고통이고
먹고 나서 비워내기까지도 고통인데
꼭 잊을만하면 그 맛이 다시 또 생각이 난다.

변태인가

먹을 때는 눈물도 일렁이면서 헥헥 거리다가
먹고 나서는 쓰린 속에 며칠을 아파하다가
며칠 안 돼서 잊혀질만하면 다시 찾고 있다.

신기하지

그래서 나는 잊힐 때쯤, 무언가 결국 다시 찾을 걸 안다.

유 머 에 욕 심 있 다

언젠가부터 확실히! '유머'에 욕심이 생겼다.
갖지 못한 것을 갖고 싶어 하는 갈망, 시기, 그런 거.

아마 너를 만나고 나서부터였나 보다.
네 유머를 그리워하면서부터였나 보다.

회사에서 질문 카드놀이를 하다 '내가 듣고 싶은 말은?' 질문이
나왔다. 한 치의 망설임도 없이 '유머러스하다'를 외쳤다.

유머 있는 사람이고 싶다.
함께 있으면 즐거운 사람이고 싶다.
힘든 나날에 위로가 되는 사람이고 싶다.

유독 힘든 하루를 보낸 날이면 더더욱, 말 한마디 건네는 유머
가 절실할 때가 있다.

표정 없이 퇴근을 하는 날이면 더더욱, 피식 웃을 수 있는 한마
디가 필요할 때가 있다.

예전에는 일부러 예능을 찾고, 개그 코너를 찾고, 웃긴 영상을 찾았는데, 한바탕 웃고 나면 뭔가 씁쓸해지는 기분이 느껴지곤 한다.

아마 나를 위한 유머를 받아보고 나서부터였을 거다.
사랑하는 이와 얼굴을 맞대고 웃어보고 나서부터였을 거다.

티브이 쇼가 아닌, 예능이 아닌, 코미디언이 아닌, 누군가 나를 위해 해주던 유머 담긴 대화를 기억한다. 얼굴을 맞대고 서로 웃으며 행복했던 순간을 기억한다.

누군가의 힘든 하루를 위로할 수 있는
나의 고단했던 하루를 응원할 수 있는

유머! 욕심난다!!

혼자 맞는 겨울

홀가분한 가을바람이 지나고, 찬 겨울 눈을 혼자 맞았다.

온기 없는 겨울 눈에 손끝이 아리긴 했지만, 찬 겨울에서야 눈을 더 오래 간직할 수 있는 거겠지. 녹아서 흘러내리지 않고 천천히, 내려온 역할을 다한 채 천천히.

혼자 맞는 겨울에서 눈을 더 오래 간직하듯이,
혼자 있는 시간에서 나를 더 오래 간직할 수 있다.
온전한 나를, 이유가 있는 나를, 존재로 살아있는 나를.

그러니
혼자 남겨진 겨울에 떨지 말자.
혼자 맞는 겨울에 두려워 말자.
누군가의 온기가 나를 변하게 한다면,
누군가의 온기가 나를 떠나게 한다면,
혼자 남겨질 수 있는 용기도 필요한 법이니까.

혼자 맞는 겨울도 필요한 법이니까.

나를 향해 걸어가다 보니, 나에게 닿았다.
나를 생각하다 보니, 나의 마음을 알았다.
나를 추억하다 보니, 나의 과거가 애틋했다.
나의 사랑이, 나의 이별이, 나의 지금이, 나의 미래가, 나의 모든 것이 소중해졌다.

사랑했던 내가 아니라, 이별했던 내가 아니라,
여기 남아있는 나를 살피는 법, 나에게 닿는 법이다.

이기적인 사랑을 했던 나를 사랑하는 게 아니라,
모진 이별을 했던 나를 사랑하는 게 아니라,
사랑하고 이별하고 혼자 남아있는 나를 사랑하는 법이었다.

그저 나를 향해 걸어가다 보니,
나를 사랑하는 나에게 닿았다.

나의 현관문에는 다음과 같은 글귀가 붙었다.

"봄은 올 거예요
내가 나를 사랑할 때"

언젠가는 추운 겨울이 가고, 봄이 올 거다.

봄은 올거예요
내가, 나를 사랑할 때

흔적은 남는다.
처음이 아닌 흔적은 남는다.

예전에는 깨끗한 도화지가 좋았는데,
요즘은 여러 번 고쳐간 스케치가 더 좋다.

예전에는 무엇이든 새것이 좋았는데,
요즘은 세월을 품은 어떤 것이 더 좋다.

예전에는 처음 시작하는 설렘이 좋았는데,
요즘은 익숙하고 편안한 안정감이 더 좋다.

예전에는 시작되는 봄이 좋았는데,
요즘은 저물어가는 가을이 좋고.

예전에는 새해를 보려고 산에 올랐는데,
요즘은 석양을 보려고 바다에 가고.

시간이 지나니 흔적이 남는다.

흔적이 남은 것들이 좋아하지는 건, 아마도 나에게도 머무른 흔적 때문이겠지.

흔적들이 아름다워지기 시작하는 건, 그것을 감당해 내기 위해 인내한 세월 때문이겠지.

후회하지 않는다고 하면 거짓말이다.

뭐가 됐든, 미련이나 후회에는 익숙한 편이다.

제2의 별명이 '꺼야'인 사람으로서!

후회? 입으로는 수십 번도 더 했다.

(*꺼야 : '~할 거야'라는 말로 바닥에 누워 개기면서 입만 살아 있는 딸래미를 향해 아빠가 붙여준 별명)

후회는 어렵지 않다.

후회로 성찰하고 인정하는 일도 그리 어렵지 않다.

후회로 변화를 시도하고 바뀌는 일부터 어려워지기 시작한다.

가만히 바닥에 누워서 입으로만 나불나불은 잘할 수 있는데, 꼿꼿이 서서 몸을 움직이는 일은 여간 귀찮은 일이 아닐 수 없다.

나는 더 완만한 사랑을 하지 못한 것에, 더 가파른 이별을 하지 못한 것에 후회했다. 둘이 함께하는 것이 아니라 혼자 미친년 널뛰듯 사랑하고 이별한 것에 후회했다.

결국은 나도 잃고 너도 잃은 수많은 선택에 후회했고,

그 자체로 온전하다 오만했던 나 자신을 후회했다.

후회는 충분히 했고, 반성하고 사과하는 일도 충분히 했다.
그래서 내가 해야 하는 다음 일은, 다음 행동은 무엇일까 생각
한다.

결국 다시 사랑하기 위해서 무엇이든 해야겠다.

다시 쫓아볼까

사랑할 때는 행복했고 이별할 때는 아팠지만, 모든 것이 괜찮아질 때가 오더라.

원망도 부정도 후회도 괴로움도 이제는 '다 괜찮다.' 스스로 다독일 때가 오더라. 이제는 다 아득한 추억이 되는 때가 오더라.

결국 이렇게 사랑이었고, 이별이었고 읊조릴 수 있을 때가 오더라.

혼자 남아서
혼자 남은 시간을 잘 보내기 위해 애썼다.
좋은 어른이 되기 위해 애썼고,
다시 나를 찾기 위해 애썼다.

어쩌면 누군가와 사랑하고 이별한 시간보다 더,
혼자 남은 시간이 필요했다. 꼭 필요한 노력이었다.

그렇게 삼십대가 된 내가 반가울 때가 있다.

사회생활 한지 6~7년 정도가 됐고 나름의 몫을 해내고 있을 때, 체력 좋을 때 후회 없이 놀아봤고 지금 체력이 적당하다 느낄 때, 밑도 끝도 없이 사랑해 봤고 이별한 지금을 잘 보내고 있을 때, 아직은 하고 싶은 일, 가슴 두근거리는 일이 있을 때, 다시 시작할 용기도, 끝내 성공할 자신도 있을 때, 조금은 쉬어갈 수 있는 여유가 있을 때, 어느 정도 세상을 알겠고, 사람도 알겠고, 나도 알 때.

나름 치열하고 아팠던 20대를 지나고 이제 갓 30대 문턱에 온 나는, 지금의 내가 반갑다.

그때 그 행복과 아픔이 헛된 시간이 아니었다.
그때 그 사랑과 이별이 헛된 시간이 아니었다.
그때 그 선택과 후회가 헛된 시간이 아니었다.

지금의 내가 반갑다는 건, 그때의 내가 괜찮다는 거니까.
앞으로의 나도 마음에 들기를 바란다.

이제야 새로운 시작을 위한 정리를 마쳤다.
이제야 다시 쫓아갈 수 있는 준비를 마쳤다.

보름달이 뜨는 날엔 별 보러 가지 마세요

이 글을 처음 쓰기 시작할 때 이제야 온전히 이별할 수 있겠다는 마음이었다. 너와의 이야기가 끝이 났음을 실감하는 마음이었다.

오랜 일기장을 보며 다시 떠올리고 정리하다보니, 꽤 오랜 시간이 지났음에도 너를 향한 미련이 점점 채워져 밝게 빛났다.

이별이라는 어둠 속에서 빛나고 있던 미련을 그제야 알았다.
채워진 미련으로는 어떤 것도 쫓을 수 없음을 그제야 알았다.

이 글을 끝맺기까지, 참 오래도 걸렸다.
다시 새로운 어떤 것을 쫓아갈 수 있는 마음으로 채우기까지,
참 오래도 걸렸다.

그래도 끝이 났다. 끝이다.

'보름달이 뜨는 날엔 별을 볼 수 없음을.'

2024년 최연화

우 리, 사 랑 이 었 고 이 별 이 었 다.

값 12,900원
03810

ISBN 979-11-410-9758-5